Chapeuzinho Índigo

Caperucita Índigo ⬤ Little Indigo Hood

Para mi amiga
Scarlett
una muy buena
lectura,

2019

Luis Hu Rivas

Translation Copyright
© (2017) This English Edition was licensed to the US Spiritist Council
by Hu Productions.

1st English Edition

Cover Image: Luis Hu Rivas
Design: Hu Productions Brazil
Adaptation/Translation: Natacha Zanzeluk
Revision: Claudia Nunes
Editorial Supervision/Editing: Jussara Korngold

ISBN NO. 9781948109000
LCCN NO. 2017957469

United States Spiritist Council
http://www.spiritit.us
Email: info@spiritist.us
www.spiritist.us

Original Title: Chapeuzinho Índigo – Luis Hu Rivas

Library of Congress Cataloging-in-Publication Data
Little indigo riding hood / Luis Hu Rivas
1. Children and Youth Spiritist Literature.
2. Kardec, Allan, 1804+1869 3. Children and Youth Literature

Manufactured in the United States of America

UNITED STATES
SPIRITIST FEDERATION

⦿ Este livro pertence a:

⊖ Este livro le pertenece a:

▦ This book belongs to:

....

Era uma vez, uma linda menina conhecida por Chapeuzinho Vermelho, ela ...

Espera aí pessoal, essa historinha foi da vida passada. Vamos atualizar as coisas por aqui?

Estão preparados?

Diretamente da geração que vem para mudar o mundo, vem ai... a única, a super, a top: Chapeuzinho Índigo.

Vocês já sabem como o conto acaba, não é mesmo? O que não vocês não sabem é o que ocorreu depois, quando todos os personagens desencarnaram.

Então preparem-se... Apertem os cintos e descubram!

Erase una vez, una linda niña conocida como Caperucita Roja. Ella…

Epa! Esperen un poco, esa historia es de su vida pasada. ¿Vamos, la actualizamos un poco? ¿Están listos?

Ta ta, ta , tan : ¡Directamente de la generación que llega para cambiar el mundo, viene allí: … Caperucita Índigo.

¿Tú ya sabes como terminó el cuento, verdad? Lo que no sabes es lo que ocurrió después, cuando todos los personajes desencarnan.

Entonces prepárate… ¡Aprieten sus cinturones y descubran!

Once upon a time there was a beautiful girl named Little Red Riding Hood. She… OOOOPPPSSSSS!!!!!
Hold on a second guys… this was a past life story.

Let's straighten out things around here?

Are you guys ready?

Directly from the new generation that is coming to change the world, there is… Little Indigo Hood.

You already know how the Little Red Riding Hood story ends, don't you? What you don't know is what happens after, when all the other characters disincarnated. Therefore, get ready, fasten your seatbelts and you will soon find it out!

Um belo dia, no mundo espiritual, Chapeuzinho Vermelho encontra com sua avozinha. Ela estava preparando uma nova encarnação para sua netinha.

— Não sei qual roupa devo vestir novamente, todas as vermelhas são lindas. – disse a Chapeuzinho.

— Nenhuma dessas dai. Você não será mais vermelhinha! – afirmou a Vovó, e entregando um novo modelo, prosseguiu. – Essa daqui é a nova tendência. A partir de agora, você será conhecida como a Chapeuzinho Índigo!

Un bello día, en el mundo espiritual, Caperucita Roja se encuentra con su abuelita. Ella estaba preparando la nueva encarnación para su nietecita.

— No sé con cual ropa debo vestirme, todas las rojas son lindas. – dijo Caperucita.

— Ninguna de ellas. ¡Tú no serás más roja! – afirmó la abuelita, y entregando un nuevo modelo continuó. – Prueba esta, es la nueva tendencia.

A partir de ahora serás conocida como Caperucita Índigo.

In a beautiful day in the spirit world Little Red Riding Hood meets with her grandma. Grandma was preparing a new incarnation for her granddaughter.

— I am not sure what outfit I should wear; all the red ones are sooo beautiful. – said the Little Hood.

— None of those. You're not going to be Little Red Riding Hood anymore! – confirmed grandma, and as she gave her a new model, she continued... – This is the new fashion. From now on you will be known as Little Indigo Hood.

Nesse momento, a Chapeuzinho Vermelho, perdão... Índigo, vestiu sua nova roupinha brilhante, mais leve e bonita.
– Além de índigo, você nascerá médium e sua missão será a preservação ambiental, cuidando dos animais e das florestas. – revelou a vovó.
– Valeu vó! Vou reencarnar com essa roupinha super *fashion*, com tecido ecológico da Indinaike! – afirmou a Chapeuzinho.
– É isso ai garota! Volta pra a Terra e arrasa! – exclamou a vovó, enquanto se despedia.

En ese momento, Caperucita Roja, perdón... Índigo, se vistió con su nueva ropita brillante, más leve y bonita.
– No solo serás índigo, también serás médium y tu misión será la preservación ambiental, cuidando de los animales y de las florestas. – reveló la abuelita.
– ¡Gracias abuelita! ¡Voy a reencarnar con esa ropita super fashion, con el tejido ecológico da Indinaike! – afirmó Caperucita.
– ¡Esa es mi chica! Vuelve a la Tierra y cumple tu tarea. – exclamó la abuelita, mientras se despedía.

At this moment, Little Red Riding Hood, forgive me... Indigo, dressed her new shiny, brilliant, brighter and beautiful outfit for the new incarnation.
– Besides being indigo, you will be born a medium and your mission will be to preserve the environment, taking care of animals and forests – revealed grandma.
– Cool grandma! I am going to reincarnate with this very fashion outfit made of Indigo-nike ecological fabric! – confirmed Little Indigo Hood.
– That's it girl! Go back to Earth and Rock It! – grandma exclaimed as she said goodbye.

Anos depois, lá está ela... Vemos a nossa amiga, reencarnada no lar da família Vermelho, alegre e saltitante. Mas algo diferente acontecia...

– Pronto, mãe! Já desbloqueei teu aparelho e criei seu perfil na internet. – avisou a Chapeuzinho.

– Esta menina é esperta demais. – falou Dona Vermelho, a mãe da Chapeuzinho.

– Eu? Você que colocou a senha Vermelho123, também assim facilita, né? – concluiu a Chapeuzinho.

Años después, allí la vemos... Nuestra amiga, está reencarnada en el hogar de la familia Roja, alegre y juguetona. Pero algo diferente ocurría...

– Listo, mami! Ya he desbloqueado tu celular y te cree un perfil en la internet. – informó Caperucita.

– ¡Esta niña es demasiado lista! – dijo Doña Roja, la mamá de Caperucita.

– ¿Yo? Tú que colocaste la seña: Rojo123, así también, es bien fácil, ¿no? – concluyó Caperucita.

Years later, there she is ... We now see our friend reincarnated in the home of the Red family, happy as she can be. However, something different was happening...

– Mom, I am done! I already unlocked your device and created you a profile on the internet. – notified Little Hood.

– This girl is so clever. – said Mrs. Red, Little Hood's mom.

– Me? You are the one who put Red123 as the passcode, which makes things kind of obvious, right? – concluded Little Hood.

Mas a vida está cheia de desafios, e o primeiro deles chegou. Dona Vermelho pediu a Chapeuzinho levar uns alimentos a casa da vovozinha, da nova encarnação.
— Xó ver antes. – disse a Chapeuzinho, que continuou. – Nessa cestinha, não tem nada *light*, nem orgânico. Esse daqui é trans, e este tem muita lactose!
— Menina, isso tua vó gosta.– retrucou Dona Vermelho. – Vai e leva logo, mas toma cuidado no caminho.
— Vou, mas terei uma conversa séria com a vó! – reclamou a Chapeuzinho.

Pero la vida está llena de desafíos, y el primero de ellos llegó. Doña Roja pidió a Caperucita para llevar unos alimentos a la casa de la abuelita.
— Déjame verlos antes. – pidió Caperucita, continuando. – En esta canastita, no hay nada light, ni orgánico. Estos son trans, y este tiene mucha lactosa.
— Niña, eso es lo que le gusta a tu abuela. – respondió Doña Roja. – Anda y lleva luego, pero toma cuidado en el camino.
— ¡Voy, pero tendré una charla muy seria con la abuelita! – reclamó Caperucita.

Nonetheless, life is full of challenges, and the first one arrived. Mrs. Red asked Little Hood to take some snacks to her grandmother's house.
— Let me check these out... – said Little Hood, and she continued. – Inside this basket there is nothing either light nor organic. This one has trans-fat, and this other one, OMG! It has too much lactose!
— Girl, this is what your grandma likes. – Mrs. Red said in response. - Now you go quickly, but, be careful on the way.
— I am leaving, but I will have a serious talk with grandma! –complained Little Hood.

No caminho, a Chapeuzinho aproveitou para fazer *fitness* e ouvir no seu Indiphone, música instrumental.
– Adoro Indienya! – pensou em voz alta a Chapeuzinho. – Valeu a pena comprar este aparelho no site do Mercado Índigo. Enquanto entrava pela floresta, era observada por uma misteriosa sombra. Quem seria? Ela caminhou um pouco, até que de pronto, viu surgir alguém na sua frente.

En el camino, la Caperucita aprovechó para hacer *fitness* y oír en su Indiphone, música new age instrumental.
– ¡Me encanta Indienya! – pensó en voz alta Caperucita. – Valió la pena comprar este aparato por el sitio Mercado Índigo. Mientras entraba por la floresta, era observado por una sombra misteriosa. ¿Quién sería? Ella camino un poco, hasta que repentinamente, vió surgir alguien al frente.

On the way, Little Hood took advantage of the time to do a little workout and listen to her Indigo-phone some new age instrumental music.
– I really like Indigo-Enya! – Little Hood thought out loud. – it was worth to get this on Indigo-bay.

While going into the forest she was observed by a mysterious shadow. Who could that be? She walked a little bit further until finally someone showed up right in front of her.

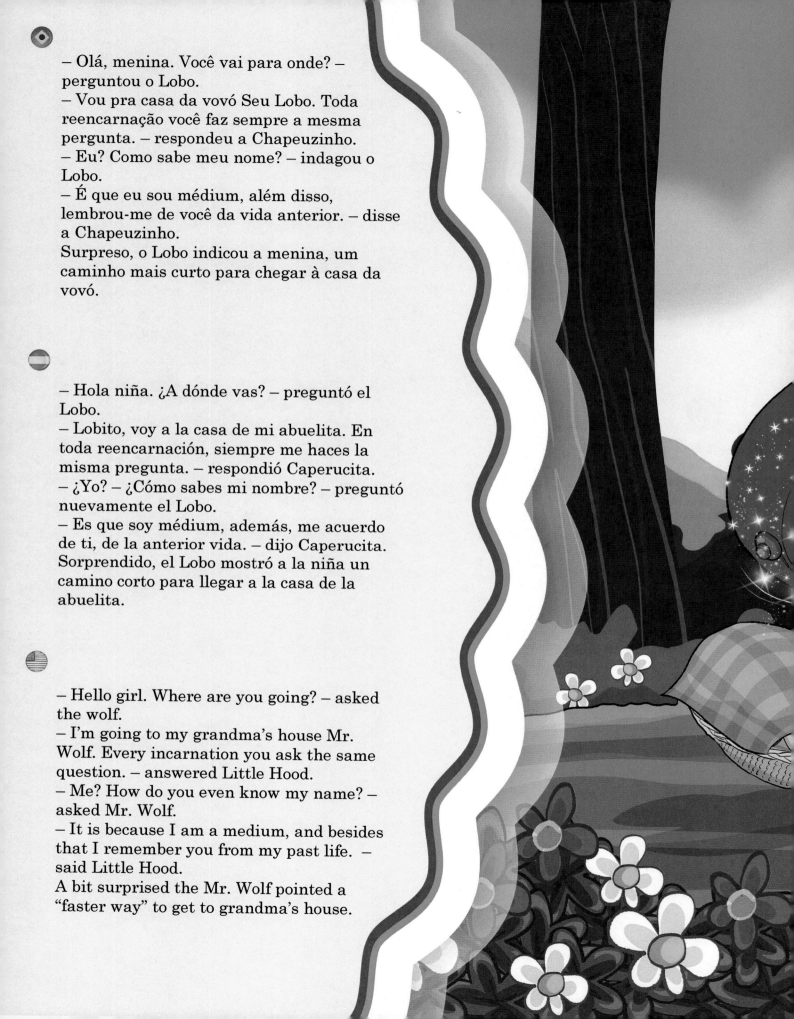

– Olá, menina. Você vai para onde? –
perguntou o Lobo.
– Vou pra casa da vovó Seu Lobo. Toda
reencarnação você faz sempre a mesma
pergunta. – respondeu a Chapeuzinho.
– Eu? Como sabe meu nome? – indagou o
Lobo.
– É que eu sou médium, além disso,
lembrou-me de você da vida anterior. – disse
a Chapeuzinho.
Surpreso, o Lobo indicou a menina, um
caminho mais curto para chegar à casa da
vovó.

– Hola niña. ¿A dónde vas? – preguntó el
Lobo.
– Lobito, voy a la casa de mi abuelita. En
toda reencarnación, siempre me haces la
misma pregunta. – respondió Caperucita.
– ¿Yo? – ¿Cómo sabes mi nombre? – preguntó
nuevamente el Lobo.
– Es que soy médium, además, me acuerdo
de ti, de la anterior vida. – dijo Caperucita.
Sorprendido, el Lobo mostró a la niña un
camino corto para llegar a la casa de la
abuelita.

– Hello girl. Where are you going? – asked
the wolf.
– I'm going to my grandma's house Mr.
Wolf. Every incarnation you ask the same
question. – answered Little Hood.
– Me? How do you even know my name? –
asked Mr. Wolf.
– It is because I am a medium, and besides
that I remember you from my past life. –
said Little Hood.
A bit surprised the Mr. Wolf pointed a
"faster way" to get to grandma's house.

A Chapeuzinho tirou do bolso, seu Indiphone e informou:

— Você está desatualizado. Veja aqui, no GPS, qual é o melhor caminho?

— Mas... Acho que este conto, não era para estar escrito assim! — reclamou o Lobo.

— Tempos novos. — afirmou a Chapeuzinho. — A transição do planeta, já ouviu falar?

— Nada disso garota! — gritou o Lobo, enfurecido. — Você irá por este outro caminho, porque quem manda na floresta sou eu!

Caperucita sacó de su bolsillo, su Indiphone y luego, informó:

— Estas muy desactualizado. Mira aquí, en el GPS, cual es el mejor camino.

— Pero... Creo que este cuento no era para ser escrito así. — reclamó el Lobo.

— Son otros tiempos. — afirmo la Caperucita.

— La transición del planeta... ¿sabes algo de ello?

— Qué nada! — gritó el Lobo, furioso. — Vas a irte por este camino, porque yo soy quien manda en el bosque.

Little Hood took out her Indigo-phone and informed:

— Sorry, you are outdated. Look here at the GPS, which way is quicker?

— But... I don't think this tale was supposed to be written this way! — complained Mr. Wolf.

— Modern times. — affirmed Little Hood. — "The Planetary Transition", have you ever heard of it?

— None of that little girl! — Mr. Wolf screamed angrily — You will go through this way because I am the king of this forest!

Para com isso! Venha comigo, vamos
fazer exercícios. – afirmou a Chapeuzinho,
puxando a mão e arrastando o coitado Lobo,
enquanto voltava a correr.
– Mas... Mas! – queixava-se o Lobo.
Após andar alguns quarteirões, gritou:
– Roteirista! Pare essa garota! Não aguento!
– Shhhh! – silenciou a Chapeuzinho.
– Uffa... uffa... Vamos chamar um taxi, pelo
amor de Deus... – disse o Lobo, que estava
sedentário demais.
– Taxi, nada! Temos que economizar. –
afirmou a Chapeuzinho.

¡Por favor, para un poco! Ven conmigo, hagamos
ejercicios. – dijo la Caperucita, jalando de la mano
y arrastrando al pobre lobito, mientras volvía a
correr.
– Pero yo... pero yo...– Quejábase el Lobo.
Después de andar algunas cuadras, gritó:
– ¡Guionista! ¡Detenga a esta niña! ¡No aguanto
más!
– ¡Shhhh! – Caperucita lo silenció.
– Uffa... uffa... Vamos a llamar un taxi, por amor de
Dios... – dijo el Lobo, que estaba muy sedentario.
– ¿Taxi? Tenemos que ahorrar. – afirmó Caperucita,
usando su nuevo aplicativo.

– Stop that! Come with me, let's work out
together. – said Little Hood pulling the hand
and dragging poor Mr. Wolf while running.
– But... but! – complained Mr. Wolf.
After walking a few blocks, screamed:
– Mr. Screenwriter! Stop this girl! I can't
take it anymore!
– Shush! – silenced Little Indigo Hood.
– Phew... Let's catch an Uber, for the love of
God... – said Mr. Wolf who was very out of
shape.
– No cab! We must save up. – affirmed
Little Hood while using her new app.

Ao chegar ao seu destino, a
Chapeuzinho aproveitou uns minutos para
aconselhar:
– Senhor Lobo, você deve plantar árvores
para que possamos respirar melhor.
Não se pode desperdiçar água, para que
possamos viver melhor.
Faça coleta seletiva, recicle! Para que
possamos viver melhor.
– Deixe de ser chata menina. – exclamou o
Lobo.
– Você deve sorrir mais. O que acha sermos
amigos nesta encarnação? – propôs a
Chapeuzinho.

Al llegar a su destino, Caperucita aconsejó:
– Señor Lobo, usted debe plantar árboles
para poder respirar mejor.
No se puede desperdiciar agua, para poder
vivir mejor.
Recoja la basura de forma selectiva, recicle,
para poder vivir mejor.
– ¡Que niña insoportable! – exclamó el Lobo.
– Debes sonreír más. ¿Qué te parece si
nos volvemos buenos amigos en esta
encarnación? – propuso Caperucita.

When they arrived at their destination Little
Indigo Hood advised:
– Mr. Wolf you should plant some trees so
we can breathe better. We cannot waste any
water so we can live better. Also, you should
separate and recycle non-trashable things
from trash! This way we could have a better
future.
– Stop being so annoying little girl! –
exclaimed Mr. Wolf.
– You know, you should smile more. What
do you think about us being friends in this
incarnation? – proposed Little Indigo
Hood.

Ao entrar na casa, o Lobo levou uma surpresa. Não havia ninguém, mas na mesa tinha um grande almoço.

– Ué! Cadê a vovó? – perguntou o Lobo.

– Nesse horário, a vovó foi malhar. Além do mais, eu mandei um indizapi, avisando que chegaria com visita. – respondeu a Chapeuzinho. – E ela deixou tudo pronto.

– Mas, assim fica estranho o conto, sem vovó. – lamentou o Lobo.

Chapeuzinho pediu ao seu amigo, parar de reclamar e convidou-o a se sentar à mesa.

Al entrar en la casa, el Lobo tuvo una sorpresa. No había nadie, pero en la mesa había un gran almuerzo.

– ¿Qué pasó? ¿Dónde está la abuelita? – preguntó el Lobo.

– En ese horario la abuelita fue hacer ejercicios. Y además, yo le mandé un indizap, avisando que vendría con visitas. – respondió Caperucita. – Y ella dejo todo listo.

– Pero, así el cuento queda raro o incompleto, sin abuelita. – lamentó el Lobo.

Caperucita pidió a su amigo que parase de reclamar y lo invitó a sentarse en la mesa.

Once they entered the house Mr. Wolf had a surprise. There was no one inside, except a table with a big lunch.

– Where is grandma? – asked Mr. Wolf.

– Grandma is at the gym now. Besides, I sent her an indigo-text to let her know I was coming with a guest – answered Little Indigo Hood – Then she left everything ready.

– This is preposterous, the tale without grandma! this makes no sense. – lamented Mr. Wolf.

Little Indigo Hood asked her friend to stop complaining and invited him to sit at the table.

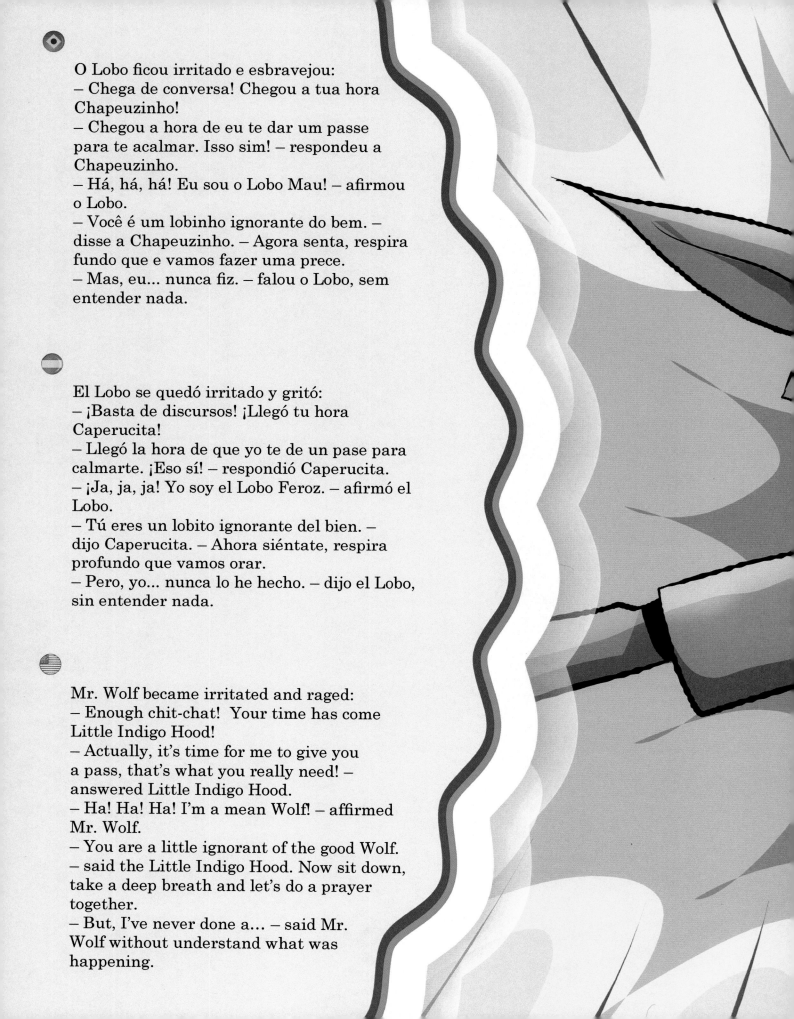

O Lobo ficou irritado e esbravejou:
— Chega de conversa! Chegou a tua hora Chapeuzinho!
— Chegou a hora de eu te dar um passe para te acalmar. Isso sim! — respondeu a Chapeuzinho.
— Há, há, há! Eu sou o Lobo Mau! — afirmou o Lobo.
— Você é um lobinho ignorante do bem. — disse a Chapeuzinho. — Agora senta, respira fundo que e vamos fazer uma prece.
— Mas, eu... nunca fiz. — falou o Lobo, sem entender nada.

El Lobo se quedó irritado y gritó:
— ¡Basta de discursos! ¡Llegó tu hora Caperucita!
— Llegó la hora de que yo te de un pase para calmarte. ¡Eso sí! — respondió Caperucita.
— ¡Ja, ja, ja! Yo soy el Lobo Feroz. — afirmó el Lobo.
— Tú eres un lobito ignorante del bien. — dijo Caperucita. — Ahora siéntate, respira profundo que vamos orar.
— Pero, yo... nunca lo he hecho. — dijo el Lobo, sin entender nada.

Mr. Wolf became irritated and raged:
— Enough chit-chat! Your time has come Little Indigo Hood!
— Actually, it's time for me to give you a pass, that's what you really need! — answered Little Indigo Hood.
— Ha! Ha! Ha! I'm a mean Wolf! — affirmed Mr. Wolf.
— You are a little ignorant of the good Wolf. — said the Little Indigo Hood. Now sit down, take a deep breath and let's do a prayer together.
— But, I've never done a... — said Mr. Wolf without understand what was happening.

O Lobo olhou o almoço na mesa, e exclamou:

— Mas, isso aqui não tem carne!

— Você não sabia? Eu sou vegana. – disse a Chapeuzinho, que prosseguiu. – Veja que legal peludinho, tudo aqui é integral e *light*. Muitas frutas e vegetais orgânicos.

— Socorro, roteirista! Alguém que me ajude! Me tirem daqui! – exigiu o Lobo.

Quando de pronto, alguém na porta surge e anuncia:

— Sou o caçador e vim te salvar Chapeuzinho!

— Pero, ¿qué es esto? ¿Sin carne?

— ¿No sabias? Ahora soy vegana. – dijo Caperucita, que continuó.

— Mira que interesante, peludito, todo aquí es integral y light. Muchos frutos y vegetales orgánicos.

— ¡Socorro, guionista! ¡Alguien que me ayude! ¡Sáquenme de aqui! – exigió el Lobo.

Cuando inesperadamente, alguien surge en la puerta y anuncia:

— Soy el cazador y vine a salvarte Caperucita.

The Wolf looked at the lunch on the table and said:

— Hey! There is no meat here!

— OH, you didn't know... I am a vegan now. – said Little Indigo Hood continuing – Look little furry one, this is really cool, everything here is whole wheat and light. Many organic fruits and vegetables.

— Screenwriter HELP! Someone Help Me! Take me out of here! – demanded Mr. Wolf.

Promptly someone appears at the door and announces:

— I am the woodcutter Little Indigo Hood and I have come to save you!

– Vai salvar nada! Você vai sentar-se
na mesa e comer saudável com a gente! –
avisou a Chapeuzinho.
– Salve a mim! – disse o Lobo ao caçador, que
não estava entendendo nada.
– Veja Seu caçador, chega de caçar animais.
Tenha dor pelos bichinhos. – solicitou a
Chapeuzinho, que em seguida perguntou. –
Você não acha que está na hora de mudar de
profissão?
– Bem, eu... até pensei um dia ser veterinário.
– respondeu o caçador, gaguejando.
Chapeuzinho teve uma grande ideia e pensou
compartir com todos.

– No vas a salvar a nadie. Te vas a sentar
en la mesa y comerás saludablemente con
nosotros! – avisó Caperucita.
– ¡Sálvame a mí! – dijo el Lobo al cazador, que
no entendía nada.
– Mira, Cazador, basta de cazar animalitos.
Sienta pena de ellos. – solicitó Caperucita, que
enseguida preguntó. No te parece que está es
la hora de cambiar de profesión?
– Bueno, yo... hasta pensé un día ser
veterinario. – respondió el cazador, gagueando.
Caperucita tuvo una gran idea y pensó
compartir con todos.

– You are not saving anyone! You are going to
sit at the table and eat healthy with us! - said
Little Indigo Hood.
– Save me! – said Mr. Wolf to the woodcutter,
who was not understanding anything at all.
– Look Mr. woodcutter enough hunting
animals and chopping trees. You should
feel pity for the little animals and plants. –
requested Little Indigo Hood, asking – Don't
you think it is time to change your profession?
– Well, I... even thought about becoming
a vet one day. – answered the woodcutter,
stuttering.
Little Indigo Hood had a great idea and
decided to share it.

Em casa, Dona Vermelho estava
preocupada sem notícias da sua filha.
Até que chegou uma foto no Indigram, e lia-se
uma mensagem:
– Mãe, olha meus novos amigos! A nova era
chegou! Amor entre todos os seres! Uhuuu...
E assim, Dona Vermelho, ciente da
responsabilidade da sua filha, ficou aliviada.
Tempos depois, para preservar a floresta e
o meio ambiente, Chapeuzinho decidiu criar
uma fundação, a Indi Peace. Com ajuda do
Seu Lobo e o caçador, dedicou sua vida para
ter um mundo melhor, e assim, todos foram
felizes para sempre.
FIM

En la casa, Doña Roja estaba preocupada, sin noticias
de su hija. Hasta que llegó un mensaje en su indiphone.
Ella fue marcada en una foto del Indigram, donde se
leía: – Mami, mira mis nuevos amigos. ¡La nueva era
llegó! ¡Amor entre todos los seres! Yuhuuu...
Y así, Doña Roja, consciente de la responsabilidad
de su hija, quedó aliviada.
Años más tarde, para preservar la floresta y el medio
ambiente, Caperucita decidió crear una fundación,
la Indi Peace. Con la ayuda del Lobo y el Cazador,
dedicó su vida para tener un mundo mejor, y así, todos
fueran felices para siempre.
FIN

Back at home Mrs. Red was worried without
word from her daughter. Until a new message
popped up on her Indigo-cellphone. She was
tagged in a picture on Indigo-gram and it read:
– Mom, look at my new friends! The new era has
come! Love between all beings! Huhuuu...
By this Mrs. Red was aware of her daughter's
responsibility and became more relieved.
Years later, Little Indigo Hood decided to create
a foundation named Indigo-Peace dedicated to
preserve the forest and the environment. With
the help of Mr. Wolf and the woodcutter she
dedicated her life to make Earth a
better world, this way everyone lived
happily ever after.
The end

Opaa! Este conto ainda não acabou...
A vida continua e vejam só o que aconteceu
com nossos amigos, algum tempo depois:
Dona Vermelho, que era viuva, sentia-se
muito sozinha. Até que um dia, convidou ao
caçador tomar uma xícara de café na sua
casa.
Ele viu que não seria muito incomodo, e
acabou aceitando.
Assim, surgiu uma linda amizade, e apoiaram
a Chapeuzinho em todos seus projetos, o que
deixou a Dona Vermelho, muito feliz.

¡Esperen! Este cuento aún no acabó.
La vida continúa y miren lo que pasó con
nuestros amigos, algún tiempo después:
Doña Rojo, que era viuda, se sentía muy
solita. Hasta que un día invitó al cazador a
tomar una tacita de café en su casa.
Él pensó si no sería mucha molestia, y aceptó.
Así surgió una linda amistad y apoyarían a
Caperucita en todos sus proyectos, lo que dejó
a Doña Roja muy feliz.

Hold on! This tale is not over yet...
Life goes on and look at what happened with
our friends after that:

Mrs. Red, who was a widow felt really
lonely at times. Until one day she invited
the woodcutter to have a cup of tea at her
house. He thought it would be no trouble and
decided to accept it. A beautiful friendship
was born and they supported Little Indigo
Hood in all her projects which made Mrs. Red
very happy.

O caçador largou sua arma e mudou
para sempre sua ocupação.
Ele tornou-se um grande veterinário, o maior
de todos. Deixou de perseguir aos bichinhos e
passou a cuidar deles, desde os pequenos até
a sua especialidade: as grandes girafas.
Decidiu também dar aulas para as crianças,
de como cuidar o meio ambiente, e assim
realizou seu sonho.

El Cazador dejó su arma y cambió para
siempre su ocupación.
Él se convirtió en un gran veterinario, el
más alto de todos. Dejó de perseguir a los
animalitos y comenzó a cuidarlos, desde los
más pequeños hasta su especialidad: las
grandes jirafas.
También decidió dar clases para niños, de
como cuidar el medio ambiente y así, realizó
su sueño.

The woodcutter let go of his machete and
changed his carrier. He became a respected
veterinarian, the greatest of all. He stopped
chasing little animals and chopping down
trees. Instead he started taking care of them,
from the little animals up to his speciality:
the big tall giraffes. He also decided to teach
classes for children on how to take care of the
environment, and that way he fulfilled his
dream.

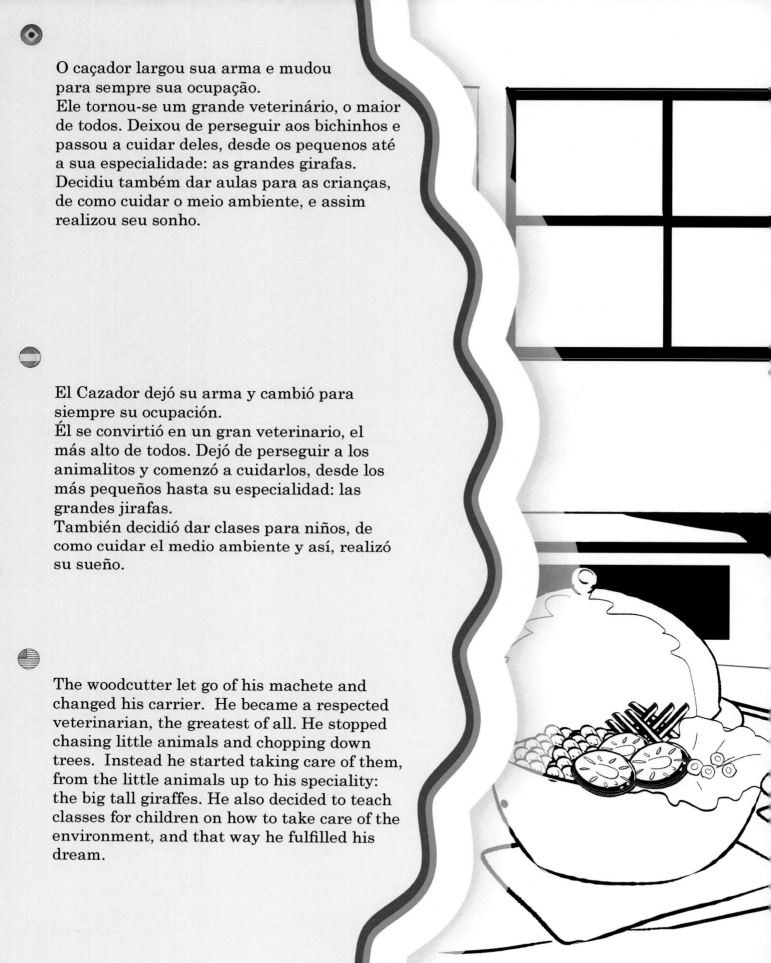

O Seu Lobo nunca mais voltou a aprontar.
Ele foi convidado a ter um trabalho digno,
como guia turístico da floresta, com apoio da
fundação Indi Peace.
Com isso, tornou-se o mais dedicado
colaborador, e conseguiu pagar os catorze
meses de aluguel que devia.
Agora ele sorri, mesmo que deva acordar de
madrugada, para chegar cedo ao trabalho.

El Lobo Feroz nunca más cometió fechorías.
Él fue invitado para tener un trabajo digno,
como guía turístico de la selva, con el apoyo
de la fundación Indi Peace.
De ese modo, se convirtió en el más dedicado
colaborador, y consiguió pagar los catorce
meses de alquiler que debía.
Ahora él sonríe, aunque necesita despertarse
de madrugada para llegar temprano a
trabajar.

Mr. Wolf never misbehaved again. He was
invited to become a dignified tour guide at
the forest with the support of Indigo-Peace.
Mr. Wolf was very dedicated to this new job,
and could pay the fourteen months of rent
he owed. Now he smiles even when is dawn
outside and he needs to get up to make it to
work on time.

Chapeuzinho prosseguiu sua vida, cresceu contente e conscientizando todos ao seu redor.

Sua fundação ecológica foi um sucesso, soube usar muito bem a tecnologia para preservar a floresta. Com a sua mediunidade, recebeu orientação espiritual de sua vovó desencarnada, para ensinar as crianças, como devem cuidar do meio ambiente e de todos seres da natureza.

Muitos anos depois, quando virou uma bela jovem, conheceu um rapaz simples, que compartia seus nobres ideais. O nome dele era Charles, casou-se e foram muito felizes.

Caperucita siguió su vida, creció contenta y concientizó a todos. Su fundación ecológica fue un éxito, supo usar muy bien la tecnología para preservar la floresta. Con su mediumnidad, recibió orientación espiritual de su abuelita desencarnada, para enseñar a los niños como deben cuidar la naturaleza y a todos los seres.

Muchos años después, cuando se convirtió en una bella joven, conoció a un joven sencillo, que compartía sus nobles ideales. El nombre de él era Carlos, se casaron y fueran muy felices.

Little Indigo Hood continued with her life. She grew happy and raising awareness to all around. Her ecological foundation was a success and she knew how to work with technology very well to preserve the forest. Through her mediumship abilities she received Spiritual Guidance from her discarnate grandma who told her to teach children how to take care of nature and all the living beings.

Many years later when she became a beautiful young adult she met a simple guy who shared her noble ideals. His name was Charles, they got married and were very happy together!

No mundo espiritual, a vovozinha estava contente em saber que sua netinha, trilhava nos caminhos do bem. Mas querem saber de uma novidade? Agora que ela tem muita luz, está se preparando para reencarnar.

Sim, a vovó virá a Terra como filha da Chapeuzinho para dar continuidade a sua obra. E junto com ela, vem uma nova geração de Chapeuzinhos, todas com roupinhas ainda mais brilhantes, que reencarnarão em muitos lugares para regenerar o planeta.

Elas vem, para deixar o mundo mais feliz, e serão conhecidas como as Chapeuzinhos Cristal.

En el mundo espiritual, la abuelita estaba contenta al saber que su nieta andaba por el camino del bien. Les gustaría conocer una noticia. Ahora ella tiene mucha luz, y está preparándose para reencarnar.

Sí, la abuelita vendrá a la Tierra como hija de la Caperucita para dar continuidad a su obra. Y, junto con ella, viene una nueva generación de Caperucitas, todas con ropitas aún más brillantes. Ellas reencarnarán en muchos lugares para regenerar el planeta y dejarlo más feliz, serán conocidas como las Caperucitas Cristal.

In the Spiritual Realm, her grandma was happy to know that her grandchild was following the path of goodness. However, would you like to know something else? Now that grandma is filled with light she is getting ready to reincarnate.

Yes, granny is coming back to Earth as Little Indigo Hood's daughter to continue her work. Together with her, there is a new generation of Little Indigo Hood's all dressed up with even more sparkling clothes. They will reincarnate in many different places to regenerate the planet and make it happier. They will be known as Little Crystal Riding Hoods.

The Spiritual Hen
Luis Hu Rivas

The Spiritual Hen really wanted to have one more chick. Read the details on this wonderful heartwarming story about the reincarnation of Little Yellow Chick. What happened between him and Ron the Rooster in their past lives? How was their meeting in the spiritual world? And now, what will happen with Spiritual the Hen?

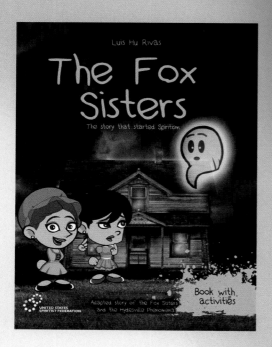

The Fox Sisters
Luis Hu Rivas

The story that started Spiritism - This is a children's book about the story of the Fox Sisters and the Hydesville phenomena.
Published by: USSF – United States Spiritist Federation

Mais informações sobre o autor em: www.luishu.com

Mayor información sobre el autor en: www.luishu.com

More information about the author: www.luishu.com

Made in the USA
Lexington, KY
14 September 2019